Georges le dragon

MERCI ISABEL !

Ce 20ᵉ album est dédié à Isabel

ISBN 978-2-211-21595-4
Première édition dans la collection lutin poche : novembre 2013
© 2013, l'école des loisirs, Paris, pour l'édition en lutin poche
© 2011, kaléidoscope, Paris
Loi numéro 49 956 du 16 juillet 1949 sur les publications
destinées à la jeunesse : septembre 2011
Dépôt légal : novembre 2018
Imprimé en France par GCI à Chambray-les-Tours

Geoffroy de Pennart

Georges le dragon

kaléidoscope
les lutins de l'école des loisirs
11, rue de Sèvres, Paris 6ᵉ

De l'autre côté de la montagne, il y a un paisible royaume sur lequel règne une princesse,
prénommée Marie. Un vieux dragon veille sur elle. Il s'appelle Georges.
Aussi loin qu'on s'en souvienne, Georges a été au service de la famille royale.
Un beau jour, surgit dans le décor un étrange chevalier. Il s'appelle Jules.
Au grand désespoir de Georges, Jules et Marie tombent amoureux l'un de l'autre.

Maudit soit le jour où cet imbécile a franchi les frontières du royaume !
Ils passent leurs journées à roucouler en se tenant par la main. Ils s'extasient devant la moindre fleur
et partent pour de longues promenades sur ce cheval qui ne vole même pas. Quelle misère !

C'est le pompon ! Aujourd'hui, la princesse a le culot de me demander
si je peux les emmener faire un tour ! *TOUS LES DEUX !*
Plutôt mourir que de les entendre se bécoter sur mon dos !

Je prétexte que je me sens un peu ballonné. Aussitôt, la princesse me propose une tisane à la badiane.
Le dingue s'empresse d'ajouter : « Je cours t'en chercher dans la montagne, mon vieux Georges ! »
Mais la princesse lui dit que ce n'est pas la peine : elle en a.
Zut ! Dommage ! Ça nous aurait fait des vacances !
Je déteste quand il est amical et surtout je ne suis pas SON vieux Georges.

Le pire est arrivé : ils ont décidé de se marier !
Eh bien, moi, je décide de partir ! Je les laisse avec leur merveilleux grand amour gnangnan.
Demain, à l'aube, je mets les voiles. Salut, la compagnie ! Adios ! Bye-bye !

Évidemment, pour tout arranger, ce matin, il pleut ! Mais pluie du matin n'arrête pas le pèlerin !
En survolant une petite ville, j'aperçois un train arrêté à la gare. Et si je poursuivais mon voyage
confortablement installé dans un wagon bien chauffé ? Après tout, les trains ne sont pas faits pour les chiens !

Décidément, ce n'est pas mon jour ! Le train est bloqué !
Autour de la locomotive, des gens gesticulent, agglutinés sous leurs parapluies.
Ils m'expliquent que le bois est trop humide. Impossible d'allumer la chaudière de la locomotive.

Impossible d'allumer une chaudière ? Bande de comiques !
En deux coups de cuiller à pot, je l'allume, moi, leur chaudière. Le train peut enfin partir.
Tout le monde m'ovationne comme si j'avais réalisé un exploit extraordinaire.

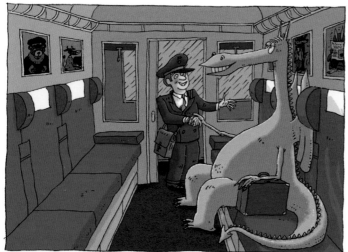

Pour me remercier, le contrôleur
m'installe en première classe.
Il m'est arrivé de voyager dans
de plus mauvaises conditions.

Impossible d'être tranquille cinq minutes !
Un drôle de coco fait irruption
dans mon compartiment. Je le reconnais,
c'est un des asticots qui gesticulaient
sur le quai de la gare.
Il est accompagné d'une fort jolie dame.

Il s'appelle Bling et la jolie dame Zouzou.
Il me dit que j'ai été fantastique,
que, sans moi, il aurait raté
des rendez-vous de la plus haute importance,
qu'il fait des films
et que patati et que patata...
Il n'arrête pas de jacasser !

Tout ça pour finir par me demander
si je veux faire du cinéma !
Zouzou me regarde avec un grand sourire.

Mmmm...
... pourquoi pas, me dis-je...

Nous sommes à peine arrivés que le tournage du film commence déjà.
En l'espace de vingt-quatre heures, me voici devenu acteur.
Zouzou est une princesse ; je suis le dragon justicier. Je la sauve des griffes d'un chevalier félon !

KLING !

Faire l'acteur, c'est du gâteau ! Un peu de maquillage,
quelques trucages, un brin de talent et le tour est joué.
Il paraît que je suis très doué ! Bling et Zouzou sont enchantés.

Le film est fini ! Il sort dans les salles de cinéma ! C'est un succès !
Bling et Zouzou sont fous de joie.

Ils veulent commencer un nouveau film immédiatement. Bling met à ma disposition
une immense limousine et une somptueuse villa. C'est agréable d'être apprécié à sa juste valeur !

Je me délasse en lisant les journaux.

Et tiens ! Il y a un article sur ma princesse...
... et sur le barjo ! BAH ! Aucun intérêt ! Je vais me coucher. Au dodo !

Ce matin, je suis d'attaque pour aller faire le guignol. MAIS ! QUE M'ARRIVE-T-IL ?
Impossible de toaster ma tartine ! J'ai beau essayer, aucune flamme ne sort de ma bouche !

Je téléphone à Bling pour le prévenir. Il est catastrophé, à cause de son film. Quel égoïste !

Il débarque chez moi dans l'heure avec un drôle de zouave. Bling me le présente : c'est le docteur Stümper, le meilleur médecin de la ville, un génie ! Le zouave m'ausculte, se gratte le menton...

... et prépare son remède : du piment rouge pilé dans un bol de vinaigre avec six cuillers de moutarde jaune. Il me dit de le boire d'un coup sans respirer. Il ajoute que le résultat va être immédiat !

Effectivement, le résultat est immédiat : je pleure, j'éternue, je crache...

... je tousse ! Mais pas la moindre flamme ! Quel imbécile ce docteur Stümper !
Il va réfléchir et il repassera me voir demain. Bling s'arrache les cheveux à cause de son film.

La télévision et les journaux du soir ne parlent que de mes tracas.

Le lendemain, nouvelle visite de Bling et du docteur Stümper ! Ils sont très excités !
Le zouave brandit un pulvérisateur.
« C'est un mélange de poivre noir et de poudre à canon, mais j'hésite. C'est un traitement de choc ! »
« Allez-y, on a un film à tourner ! » dit Bling.

Le résultat est spectaculaire.
Je suis secoué par un formidable éternuement et je crache de la fumée !
Une épaisse fumée noire envahit toute la pièce !

Mais pas la moindre étincelle !

Les deux abrutis partent en discutant avec animation. Qu'ils aillent au diable ! Je suis furieux !

La Gazette du cinéma

Le mystérieux mal dont souffre Georges est-il contagieux ? La réponse du docteur Stümper en page 7

SPECTACLES

LA CARRIÈRE DE GEORGES : UN PÉTARD MOUILLÉ ?

Une étoile filante ?

La Trompette

DES FUMÉES TOXIQUES S'ÉCHAPPENT DE LA VILLA DE GEORGES !

UN DRAGON SANS FLAMMES, CE N'EST QU'UN GROS LÉZARD VOLANT...

De nouveau, le soir, il n'y en a que pour moi dans les journaux et à la télévision ! Ils sont tous cinglés !

J'ai mal dormi ! On sonne à la porte. Revoilà les dingues, Bling et Stümper ! Ils ne sont pas seuls.
Bling m'annonce qu'ils ont réuni les meilleurs spécialistes et que, cette fois-ci, c'est sûr, ça va marcher.
Si je pouvais, je leur grillerais volontiers les fesses, mais justement, je ne peux pas ! Je les fais entrer.

Quelle journée ! On peut dire que j'ai mon compte de dinguerie !
J'ai droit à un illuminé avec sa machine infernale...

... une espèce de fakir...   ... un hypnotiseur...

Le dernier cinglé me fait allonger sur un divan. Il me demande si j'ai été choqué ou contrarié récemment.
OUI ! J'AI ÉTÉ CHOQUÉ ! MOUTARDE, PIMENT, POIVRE NOIR, POUDRE À CANON !
OUI ! JE SUIS CONTRARIÉ ! J'AI QUITTÉ UNE PRINCESSE POUR FUIR UN DINGUE,
ET ME VOICI TRANSFORMÉ EN COBAYE PAR UNE BANDE DE ZINZINS !

JE SUIS VRAIMENT TRÈS ÉNERVÉ ! Quand soudain... *TAGADA, TAGADA* !
Ce dingue de Jules déboule sur ma terrasse ! PITIÉ ! PAS LUI ! Il brandit une fiole et me lance :
« *Mon vieux Georges, tu es une vedette ! On ne parle que de toi dans les journaux.* »

« Voici une décoction de graines d'escarbingues, d'écorce de koudsilex et de pétales de megacelsius !
C'est une recette de Marie. Elle m'a envoyé chercher les ingrédients du côté du volcan Boum-Boum
et je peux te dire, mon vieux Georges, que ça n'a pas été de la tarte ! Allez, bois ! »
Je n'en crois pas mes oreilles ; ILS ONT INTERROMPU LEURS ROUCOULADES POUR MOI !

Je bois la potion de ma princesse et le résultat est instantané, je suis guéri !
Le cinglé est enchanté : « Plutôt efficace, pas vrai, mon vieux Georges ?! »
Il me tend une enveloppe. « Tiens, tu liras ça ! C'est une lettre de Marie. »

Et *TAGADA, TAGADA,* il repart au galop en criant :
« *EN AVANT FLAMBARD, MON AMOUR M'ATTEND !* » Ce type est complètement fou !

EUH....
À DEMAIN
GEORGES...

Fou, mais efficace ! J'ai hâte de lire la lettre de ma princesse.
Je raccompagne la brochette de guignols !

Une fois seul, j'ouvre la lettre. C'est ma princesse !

JE LUI MANQUE !

Je vais lui écrire...

NON ! JE VAIS PLUTÔT ÉCRIRE À BLING...